LES PORTE-AVIONS

Textes
Mise en page et illustrations
Jacques DAYAN

Collection créée et conçue par
Émilie BEAUMONT

FLEURUS

GROUPE FLEURUS, 15-27, rue Moussorgski, 75018 PARIS
www.editionsfleurus.com

LES PREMIERS PAS

En 1903, deux Américains, les frères Wright, effectuent le premier vol réussi à bord d'un avion. Très vite, l'armée s'intéresse à ce nouveau mode de transport. La marine envisage d'utiliser l'avion dans la guerre sur les mers, en le faisant décoller à partir d'un bateau. Encore faut-il aménager le bateau en conséquence ! Après diverses tentatives hasardeuses et quelques accidents fatals pour les pilotes, le premier porte-avions voit le jour. Il est muni d'une longue plate-forme où les avions peuvent décoller et atterrir.

Le premier décollage

Les Américains sont les premiers à faire décoller un avion depuis un bateau. Ils construisent à l'avant du cuirassé *Birmingham* (un bateau de guerre) une plate-forme inclinée en bois de 25 m de long et 7 m de large pour qu'un avion muni de roues puisse y prendre son élan et décoller. Eugène Ely, pilote d'essai, est engagé pour mener à bien cette mission le 14 novembre 1910.

Les avions de cette époque sont très légers et volent à faible vitesse.

Une rampe de lancement

Après les exploits d'Ely, les Anglais mettent au point une rampe de lancement au-dessus des canons d'un croiseur d'où le pilote Charles Samson s'élance avec succès le 10 janvier 1912. Il se sert d'un hydroplane équipé de flotteurs gonflables. En effet, pour se poser, l'avion doit amerrir. Il est hissé à bord du croiseur à l'aide d'une grue.

La rampe de lancement permet à l'avion de ne pas quitter sa trajectoire.

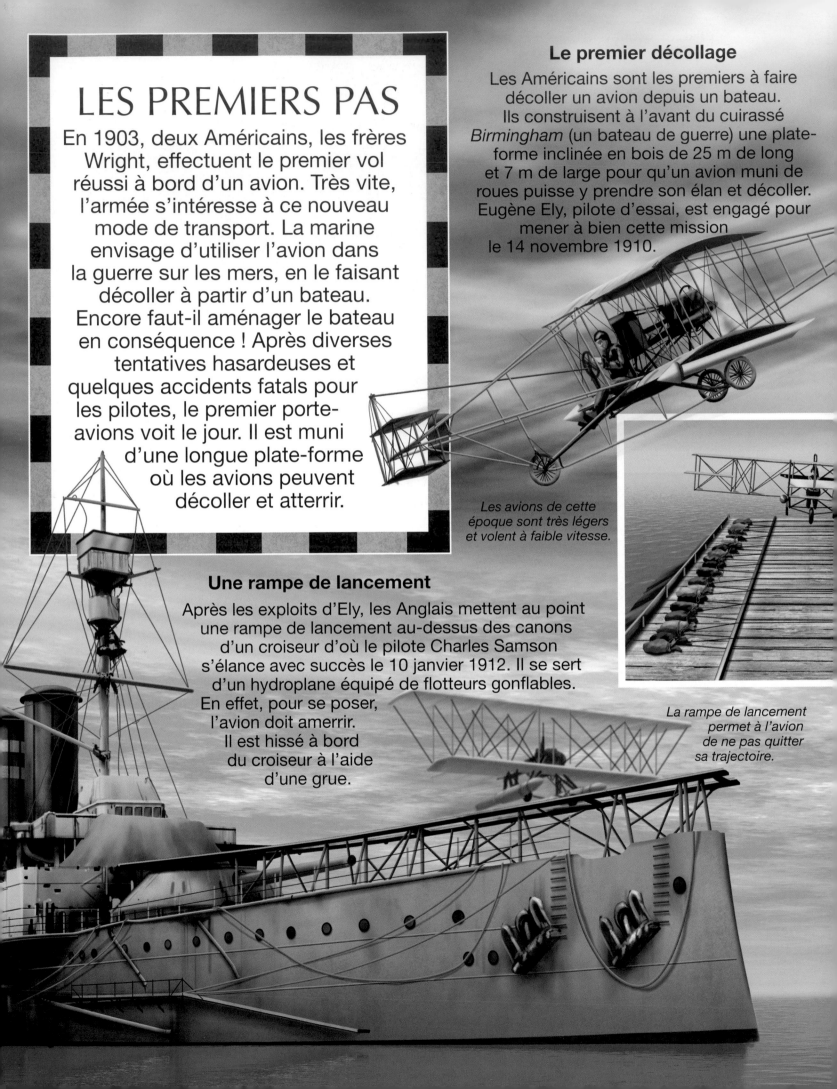

Le 14 novembre 1910, jour du premier décollage, le vent qui souffle en rafales retarde la tentative du Curtiss Pusher. Dans l'après-midi, profitant d'une accalmie, Eugène Ely prend place à bord de l'appareil (auquel, par sécurité, on a ajouté des flotteurs), met le moteur en marche et s'élance sur la rampe de lancement. Arrivé en bout de piste, l'avion prend son envol mais il ne va pas assez vite et les spectateurs présents voient avec inquiétude le biplan piquer vers les flots. Prenant de la vitesse, Ely réussit à redresser l'appareil, non sans avoir touché l'eau de ses roues, et reprend de l'altitude, sous les acclamations.

Le premier appontage

Le 18 janvier 1911, Eugène Ely entreprend d'atterrir sur le cuirassé *Pennsylvania*. Pour l'occasion, le pont arrière du navire a été équipé d'une plate-forme de 36 m de long sur 9 m de large (à gauche). En travers, on a placé 22 câbles d'acier, des brins d'arrêt, arrimés à des sacs de sable. Il faut que l'avion, qui ne dispose pas de freins, accroche l'un deux à l'aide d'un crochet pour s'arrêter. Ely s'arrête ainsi avec succès en 9 mètres. Une heure plus tard, à partir de la même plate-forme, il décolle et regagne la côte. Quelques mois après cet exploit, il trouve la mort lors d'un meeting aérien.

En cas d'échec de l'appontage, Eugène Ely (à droite) s'est équipé d'une bouée faite de chambres à air de vélo gonflées.

Le premier décollage à l'aide d'une catapulte.

La catapulte

Après trois ans d'essais, les Américains mettent au point un système de catapulte qui permet de projeter un avion sur une rampe à partir du pont d'un navire pour lui faire prendre suffisamment de vitesse (voir p.16/17). Ce dispositif à air comprimé est monté sur le cuirassé *North Carolina* en 1915 et c'est Henri C. Mustin, sur l'hydravion *Curtiss Flying Boat*, qui effectue brillamment le décollage.

En 1917, la plate-forme du Furious, située à l'avant du croiseur, oblige les pilotes à effectuer des manœuvres périlleuses.

Un appontage acrobatique

En 1917, les Anglais effectuent des transformations sur le croiseur *Furious*. À la place des canons situés à l'avant du navire, ils construisent une plate-forme de 70 m de long pour le décollage et l'appontage. Le 2 août, le capitaine Dunning réalise le premier appontage à bord d'un avion *Sopwith*. Un véritable exploit car, pour se retrouver sur la piste, face au vent, Dunning doit contourner l'îlot (la tour de navigation au centre du bateau), ce qui l'oblige à des manœuvres périlleuses (voir schéma). Sur le pont, des marins sont chargés d'attraper l'avion et de le freiner. Dunning se noie quelques jours plus tard lors d'une nouvelle tentative.

Pour éviter un nouvel accident, on aménage en 1918 une plate-forme à l'arrière du Furious puis, en 1925, on supprime l'îlot pour construire un pont unique sur toute la longeur du navire.

Un décollage périlleux

En 1924, les Français imaginent une solution originale pour faire décoller les avions. Sur le cuirassé *Lorraine*, ils équipent un mât en trépied d'une potence horizontale d'environ 10 m sous laquelle est installé un rail. Entraîné par son moteur à pleine puissance, l'avion glisse sous ce rail. Arrivé en bout de parcours, il effectue une descente vertigineuse. Le pilote doit alors contrôler le piqué et redresser l'appareil avant qu'il ne touche l'eau.

Remorques porte-avions

En 1918, la Royal Navy, la marine anglaise, entreprend la construction de petits bateaux munis d'une plate-forme de décollage. Ils sont remorqués par des destroyers rapides. Le 11 août, le pilote Stuart Culley prend son envol à bord d'un chasseur *Sopwith-Camel* pouvant décoller sur une courte distance et abat un dirigeable allemand. À la fin de la guerre, ce système est abandonné.

L'Argus

En 1916, la marine anglaise achète un paquebot en construction pour réaliser le premier véritable porte-avions : l'*Argus*. Le pont est équipé de brins d'arrêts. Deux ascenseurs permettent d'accéder au hangar où sont rangés plusieurs appareils. À l'avant, le poste de navigation rentre sous le pont pour permettre aux avions de circuler. L'*Argus* est mis en service en 1918.

Ci-dessus, l'Argus *avec ses peintures de camouflage lors de la Seconde Guerre mondiale en 1942.*

L'hydravion porte-avions

Pour expédier du courrier par avion vers le Canada, les États-Unis ou l'Amérique du Sud, les Anglais imaginent en 1938 le *Short Mayo*, un hydravion porte-avions. Le but est de couvrir plusieurs milliers de kilomètres sans escale. Le principe est simple : après avoir parcouru une certaine distance, le gros avion se sépare du petit en vol et ce dernier poursuit tout simplement la route, jusqu'à destination !

Un sous-marin porte-avions

À la fin de la Seconde Guerre mondiale, les sous-marins *Sen Toku* japonais font office de porte-avions. Une rampe de lancement permet aux trois appareils embarqués de prendre leur envol à l'aide d'une catapulte. Ils sont armés de torpilles ou d'une bombe. Leurs ailes se replient pour rentrer dans un hangar.

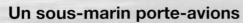

BATAILLES DANS LE PACIFIQUE

Les porte-avions révolutionnent le combat naval. Ils permettent en effet de s'approcher à une distance de sécurité raisonnable d'une cible (terrestre ou sur mer), puis d'y envoyer des flottilles d'avions pour la détruire. Par leur capacité de déplacement, ils peuvent attaquer des ennemis situés à des milliers de kilomètres de distance. Les batailles dans le Pacifique, qui opposent Japonais et Américains durant la Seconde Guerre mondiale, sont les seules à ce jour à faire s'affronter des porte-avions.

L'attaque de Pearl Harbor

« *Tora, tora, tora !* » : c'est par ces mots (*tora* signifie tigre en japonais) que l'amiral Yamamoto lance l'attaque sur la base américaine de Pearl Harbor, dans l'archipel d'Hawaï. Le Japon se trouve à 5 000 km de cette base, une distance considérable à couvrir pour envoyer des avions bombarder l'ennemi. À moins d'employer des porte-avions.

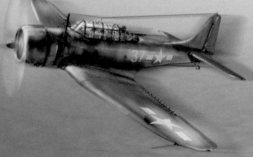

Le porte-avions japonais Hiryu *(ci-dessous) est le dernier à sombrer sous les frappes américaines.*

La bataille de Midway

Après la terrible défaite de Pearl Harbor, les Américains remportent une victoire significative contre les Japonais, lors de la bataille de Midway, dans le Pacifique, proche de Pearl Harbor. Lancés depuis leurs porte-avions, plusieurs raids de bombardiers coulent sous les torpilles et les bombes les quatre porte-avions japonais. De nombreux pilotes se retrouvent ainsi sans base pour atterrir !

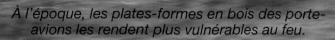

À l'époque, les plates-formes en bois des porte-avions les rendent plus vulnérables au feu.

Ce que choisissent de faire les Japonais. Ils s'approchent à 500 km de Pearl Harbor. En cette matinée du 7 décembre 1941, les Américains ont interrompu leur surveillance radar. Les porte-avions lancent alors deux vagues d'assaut successives de 183 et 137 avions sur la base ennemie, causant des dégâts importants. Aucun porte-avions américain n'est présent sur les lieux, mais 2 403 hommes sont tués.

Le chasseur japonais Mitsubishi A6M « Zéro » est utilisé durant toute la Seconde Guerre mondiale.

La flotte japonaise qui attaque Pearl Harbor se compose de 32 navires dont six porte-avions (ci-dessus le Akagi), et 27 sous-marins.

L'avion a une force de frappe plus précise que le tir des canons d'un navire de guerre classique car il s'approche au plus près de sa cible, un autre avantage des porte-avions dans les combats navals. Ci-dessus, un bombardier en piqué américain Douglas SBD Dauntless.

LES PORTE-AVIONS MODERNES

Plus longs que trois terrains de football mis bout à bout, hauts comme un immeuble de 20 étages, les derniers-nés des porte-avions sont de véritables villes flottantes qui peuvent accueillir 6 000 personnes et embarquer 85 avions ! Ils se déplacent à une vitesse maximale de 55 km/h, parcourant jusqu'à 1 300 km par jour ! En temps de paix, ils effectuent des missions de surveillance et de dissuasion. Ils utilisent l'énergie nucléaire pour se déplacer.

Une longue évolution

Depuis l'apparition des premières plates-formes installées sur des cuirassés jusqu'aux porte-avions actuels, on a recherché la meilleure solution pour la disposition des pistes.

A. 1910 : plate-forme à l'avant, uniquement pour le décollage.

B. 1918 : plate-forme à l'avant pour le décollage et à l'arrière pour l'appontage.

C. 1918 : pont continu.

D. 1930 : pont d'envol équipé de catapultes avec l'îlot à tribord (droite).

E. 1950 : pont d'envol avec deux pistes permettant décollages et appontages simultanés.

Quatre catapultes font décoller les 85 avions embarqués de l'USS Ronald Reagan.

Seuls trois pays possèdent des porte-avions : la France, avec le Charles-de-Gaulle, les États-Unis (12 bâtiments) et le Brésil (qui a acheté à la France le porte-avions Foch de 1960, à propulsion diesel).

Dans la marine, on ne parle pas du poids d'un navire mais de son « déplacement », c'est-à-dire du poids du volume d'eau qu'il déplace lorsqu'il flotte. Le Charles-de-Gaulle déplace environ 45 000 tonnes, l'USS-Ronald-Reagan (ci-contre), près de 100 000 !

Un blindage d'acier d'une dizaine de centimètres constitue la coque du porte-avions.

Le dernier-né des porte-avions nucléaires américains est l'USS-Ronald-Reagan (ci-dessus), mis en service en 2005 et conçu pour une durée de service de 40 à 50 ans. Il mesure 333 m de long et 78 m de large. Propulsé par deux réacteurs nucléaires, il pourrait naviguer pendant 20 ans sans jamais s'arrêter !

Les systèmes de défense

Les avions embarqués et le groupe aéronaval (les navires qui l'accompagnent constamment) constituent la défense essentielle d'un porte-avions. Mais celui-ci est également pourvu de mitrailleuses et de lance-missiles.

1 : îlot
2 : pont d'envol
3 : pont d'atterrissage
4 : ascenceurs
5 : mitrailleuses
6 : lance-missiles
7 : radars et antennes
8 : catapultes

Le porte-avions peut lancer des missiles à courte portée (ci-dessus), mais aussi des missiles de croisière qui envoient des bombes classiques ou nucléaires à l'intérieur des terres avec une précision de quelques mètres.

Les porte-avions du futur

Possédant à peu près les mêmes caractéristiques que les bâtiments actuels, ils seront beaucoup moins repérables par les radars. Le projet franco-anglais (ci-dessous) comportera deux îlots, celui de l'avant servant à la navigation et celui de l'arrière aux opérations de vol. Le futur *CVN 21* américain dépassera toutes les dimensions connues (345 m de long et 80 m de large) !

La sécurité incendie

Un porte-avions transporte jusqu'à 11 millions de litres de carburant pour les avions et de nombreux explosifs. La sécurité incendie est donc très importante. Une brigade de marins spécialement entraînée est prête à intervenir en cas d'urgence. Séparée par des cloisons et des portes coupe-feu, chaque zone du bâtiment possède son propre système d'incendie, de ventilation, etc.

En cas d'incendie, un système d'aspersion réparti sur toute la surface du pont permet de l'inonder d'eau ou de produit anti-feu en quelques instants. Cela évite tout risque de propagation d'incendie.

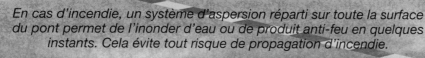

L'îlot

C'est le centre de contrôle du porte-avions à partir duquel le commandant donne ses ordres. La partie inférieure (3), qui ne comporte aucun hublot, abrite de nombreuses consoles informatiques. C'est là que s'élaborent les stratégies de combat. La partie supérieure (1) abrite différents types de radars qui constituent les « yeux » du porte-avions, les mâts de transmissions radio et la station météo.

L'intérieur des porte-avions modernes est pressurisé, c'est-à-dire qu'aucun gaz ou nuage toxique provenant d'une attaque éventuelle ne peut y pénétrer. En cas de brèche dans la coque, des portes et cloisons assurent l'étanchéité du navire.

La passerelle

Située au dernier étage de l'îlot (2), c'est le centre de navigation du porte-avions. C'est aussi de la passerelle que le commandant, surnommé le « pacha », et les officiers de quart qui le secondent, veillent au bon déroulement des manœuvres d'aviation (décollage et appontage).

Les ascenceurs

Pour accéder des hangars au pont d'envol, les avions et les hélicoptères embarqués empruntent de puissants et vastes ascenseurs. On peut y loger deux avions de combat, soit une charge de 40 tonnes. Pour rentrer dans les hangars, les avions sont équipés d'ailes qui se replient (sauf pour le *Rafale* ci-contre). Les pales des hélicoptères se rabattent quant à elles vers l'arrière de l'appareil.

Ascenseur

Le stick

La barre qui permet de diriger le navire est remplacée sur les porte-avions récents par un « stick », identique aux manettes de consoles de jeux.

Le plan de pont

Dans une salle à l'arrière de l'îlot, sur une grande table, est représenté le plan qui montre le pont du porte-avions et les hangars. Dessus, on positionne les maquettes des avions. Cela permet de visualiser d'un seul coup d'œil leur emplacement respectif et d'anticiper tout déplacement.

Monte-charges

Ils permettent de monter les bombes et les missiles depuis l'armurerie située à un pont inférieur, mais aussi d'accueillir deux brancards pour l'évacuation des blessés vers l'hôpital.

Sur le plan de pont, chaque maquette porte le numéro des avions. Des pastilles de couleur réparties sur les ailes indiquent les charges en carburant des avions.

Le pont-hangars

Il est situé sous le pont d'envol. Les hangars abritent les avions et les hélicoptères embarqués. Les hangars servent aussi d'ateliers de maintenance et de réparation, comme par exemple pour changer des réacteurs. On peut aussi y organiser les réceptions officielles et des fêtes en sortant les avions.

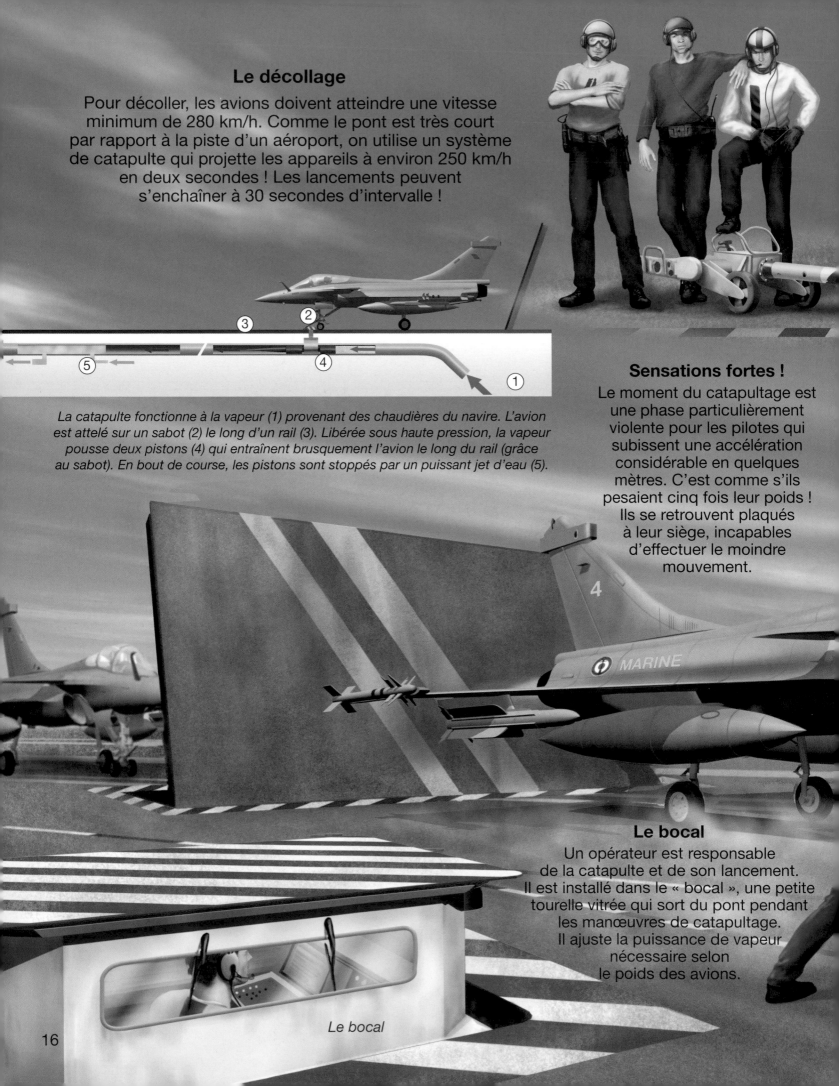

Le décollage

Pour décoller, les avions doivent atteindre une vitesse minimum de 280 km/h. Comme le pont est très court par rapport à la piste d'un aéroport, on utilise un système de catapulte qui projette les appareils à environ 250 km/h en deux secondes ! Les lancements peuvent s'enchaîner à 30 secondes d'intervalle !

La catapulte fonctionne à la vapeur (1) provenant des chaudières du navire. L'avion est attelé sur un sabot (2) le long d'un rail (3). Libérée sous haute pression, la vapeur pousse deux pistons (4) qui entraînent brusquement l'avion le long du rail (grâce au sabot). En bout de course, les pistons sont stoppés par un puissant jet d'eau (5).

Sensations fortes !

Le moment du catapultage est une phase particulièrement violente pour les pilotes qui subissent une accélération considérable en quelques mètres. C'est comme s'ils pesaient cinq fois leur poids ! Ils se retrouvent plaqués à leur siège, incapables d'effectuer le moindre mouvement.

Le bocal

Un opérateur est responsable de la catapulte et de son lancement. Il est installé dans le « bocal », une petite tourelle vitrée qui sort du pont pendant les manœuvres de catapultage. Il ajuste la puissance de vapeur nécessaire selon le poids des avions.

Le bocal

Les « ponev »

Visibles au premier coup d'œil, ils forment le personnel du pont d'envol. Chaque équipe, au rôle bien distinct, porte des vêtements de couleurs et de motifs différents.

Jaune : les « chiens jaunes ». Ils coordonnent toutes les équipes sur le pont d'envol. On les appelle ainsi car ils sont obligés « d'aboyer » leurs ordres dans le vacarme.
Rouge : les hommes en rouge se chargent du ravitaillement des avions.
Blanc rayé de noir : le liftier, il actionne les ascenseurs.
Violet : psychologue, chargé du soutien aux blessés.
Marron : personnel qui prépare et range les appareils.
Vert rayé de noir : personnel qui entretient les avions.
Bleu : surnommés les « schtroumpfs », les hommes en bleu assistent les chiens jaunes.
Blanc à croix rouge : service médical.

Si, arrivé en bout de piste, l'avion n'a pas atteint une vitesse suffisante pour voler, le pilote doit s'éjecter immédiatement. Il est alors récupéré par un hélicoptère toujours présent lors d'un décollage ou d'un appontage pour intervenir au plus vite et éviter une noyade.

De nombreuses bandes de couleur sillonnent le pont du navire. Elles indiquent aux membres de l'équipage dans quelle zone de manœuvres ils se trouvent et quelles précautions ils doivent prendre.

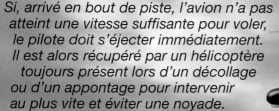

Les étapes du décollage

Juste avant le décollage, l'avion est guidé sur le rail de la catapulte. Le maître de pont ordonne de relever le déflecteur de jet qui détourne le flux d'air chaud vers le haut pour protéger les hommes et les avions. Dans le bocal, l'opérateur fait avancer la catapulte pour y accrocher l'avion. Après contrôle des opérations, le maître de pont passe le relais au chien jaune qui lève alors son drapeau vert ; le pilote met pleins gaz. Dès que le chien jaune abaisse le drapeau, le système de catapulte est enclenché.

L'appontage

Pour un pilote de l'aéronavale, c'est l'exercice le plus brutal et le plus dangereux. Il s'agit d'arrêter, sur une très courte distance, un avion se posant à environ 270 km/h en accrochant un des trois brins d'arrêt. Les pilotes sont aidés dans cette manœuvre par leurs instruments de bord et par un système de guidage (l'optique d'appontage) situé sur le côté gauche du porte-avions. Ils doivent aussi impérativement respecter les ordres radio donnés par les officiers d'appontage (OA).

Ce système qui permet au pilote d'effectuer une descente précise vers la piste, c'est l'optique d'appontage.

Un fort tangage du porte-avions rend impossible toute manœuvre d'appontage ou de décollage... et donc toute mission aérienne !

L'appontage a lieu sur la piste oblique du porte-avions (voir p.12).

Les brins d'arrêt

Tendus à 10 cm au-dessus du pont, ce sont des câbles d'acier très résistants. Le brin d'arrêt s'allonge pour freiner l'avion sans rompre.

① *La crosse d'appontage.*

② *Les brins d'arrêt en acier.*

La crosse d'appontage

Située sous l'arrière de l'avion, elle s'abaisse et permet d'accrocher le brin d'arrêt, une manœuvre qui demande au pilote une extrême précision. L'avion qui accroche un brin d'arrêt voit sa vitesse chuter de 270 à 0 km/h sur 100 m ! Les pilotes parlent alors d'un « crash contrôlé ».

L'optique d'appontage

Il permet de guider le pilote à l'aide d'un signal lumineux blanc. Lorsque le pilote est sur le point d'apponter, il aperçoit ce signal lumineux ainsi qu'une ligne de référence verte. Ils lui indiquent sa position par rapport à la piste. Bien alignés, ils lui permettent d'apponter correctement. Si le signal lumineux blanc est situé au-dessus de la ligne verte, c'est que l'avion est trop haut, s'il se situe en dessous, c'est qu'il est trop bas et qu'il ne peut pas apponter. Des projecteurs rouges et blancs facilitent également l'appontage.

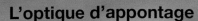

Le visualiseur tête haute

Depuis le cockpit de l'avion, la piste d'un porte-avions paraît très petite. À travers le « visualiseur tête haute », transparent, le pilote peut lire instantanément les indications de vitesse, de cap, d'altitude, sans quitter de vue la piste.

La barrière-crash

Si la crosse d'appontage d'un avion est endommagée ou qu'elle ne s'abaisse pas, celui-ci peut être freiné en quelques mètres par la barrière-crash déployée en travers de la piste. Elle est constituée de lanières de nylon verticales reliées à deux filins horizontaux. Ce dispositif est utilisé en tout dernier recours car il peut endommager l'avion.

L'AVIATION EMBARQUÉE

N'importe quel avion ne peut embarquer sur un porte-avions. Il doit être équipé pour apponter et être catapulté, mais aussi subir diverses modifications pour supporter les énormes contraintes dues à ces opérations. La structure générale des appareils est notamment renforcée et on installe des trains d'atterrissage plus robustes. Peu de types d'avions sont ainsi équipés.

Rafales

Les pilotes de l'aéronavale sont tous des pilotes de chasse. Ils reçoivent en plus une formation appropriée aux contraintes de l'appontage et du catapultage, particulièrement éprouvantes pour l'organisme et qui demandent un sang-froid et une vigilance accrus.

Les avions supersoniques

Ils effectuent des missions d'attaque et de reconnaissance. Ils peuvent embarquer des charges nucléaires qui en font de redoutables outils de dissuasion. On dit qu'ils sont supersoniques car leur vitesse est supérieure à celle du son. Alors que le son se déplace à 1 224 km/h, un avion supersonique atteint 2 200 km/h ! Le *Rafale*, ci-dessus, peut monter jusqu'à 18 000 m d'altitude en 55 secondes !

Les avions-radars

Ces avions assurent la sécurité contre les menaces aériennes et marines grâce à leurs radars de surveillance puissants. Ci-dessous, le *Hawkeye* (œil de faucon) américain possède un énorme radar en forme de galette.

Les avions à réaction

Leurs réacteurs les propulsent à une vitesse pouvant atteindre 1 000 km/h. Certains effectuent des missions d'attaques aériennes ou anti-sous-marines. D'autres sont équipés pour la détection de mines, le transport ou encore le ravitaillement en vol d'autres avions.

Deux avions américains : ci-contre, un Loockeed S-3 Viking de lutte anti-sous-marine ou de transport. En bas, un F-18 Super Hornet supersonique pouvant atteindre 30 tonnes à pleine charge.

Les hélicoptères

Leurs missions sont très variées, du transport de troupes ou de commandos au sauvetage en mer, même de nuit et par très mauvais temps. Certains peuvent tirer des missiles sur des navires de surface. D'autres sont spécialisés dans la lutte anti-sous-marine.

Les avions qui stationnent sur le pont permettent de libérer de la place dans le hangar pour effectuer, par exemple, les opérations de maintenance. Ils sont alignés sur le côté du navire afin de ne pas gêner les manœuvres d'appontage et de décollage.

Ci-dessus, l'hélicoptère NH-90, fruit de la collaboration entre quatre pays (France, Italie, Allemagne, Pays-Bas).

VMFA·314

037

Les avions sont solidement attachés au pont par des chaînes qui les empêchent de bouger quand ils sont à l'arrêt.

UNE VILLE FLOTTANTE

Un porte-avions en mission peut rester plusieurs mois en mer. Il offre à l'équipage tout le confort moderne et de nombreux services. Il faut en effet nourrir, soigner, loger, informer et distraire les milliers d'hommes et de femmes qui travaillent à bord. On peut donc y trouver notamment une poste, un hôpital, des lieux de culte où pratiquer sa religion, un ou deux supermarchés, des salles de sport, une laverie qui peut traiter jusqu'à 5 tonnes de linge par jour...

Les loisirs

De nombreuses distractions permettent aux membres de l'équipage de se détendre après le travail. Ils disposent généralement d'une salle de jeux d'une salle de cinéma, d'une bibliothèque. Ils peuvent aussi faire de la musique et pratiquer des sports variés tels que de la musculation, du judo, du volley-ball, du basket...

Le tir à la corde est un jeu très apprécié de l'équipage lors des fêtes organisées sur le pont.

Une immense maison

Dans un navire qui héberge jusqu'à 6 000 personnes, il faut prévoir des couchettes pour tout le monde. Les officiers disposent de chambres individuelles ou à deux lits. Les marins sont logés dans des dortoirs divisés en blocs aménagés de lits superposés. Hommes et femmes sont logés dans des quartiers séparés.

La télé

Beaucoup de porte-avions possèdent leur propre studio de télévision. Il diffuse les informations nationales, des émissions quotidiennes et des reportages sur la vie à bord.

La cueillette

Malgré son nom qui évoque une promenade et une distraction, cette opération est très importante. Il s'agit d'inspecter la surface du pont au centimètre près avant les manœuvres d'aviation. En effet, il faut ramasser tous les objets, même les plus petits, afin d'éviter qu'ils ne soient aspirés par les réacteurs des avions ou soufflés par les hélices.

Les déchets sont traités par un incinérateur. Une partie est brûlée, l'autre est recyclée. Les matières non recyclables sont compactées et déchargées à terre.

Les cuisines

Un gros porte-avions possède plusieurs cuisines qui assurent un service 24 heures sur 24. Les chefs cuisiniers préparent jusqu'à 12 000 repas par jour, sans compter les petits déjeuners ! Des boulangers fournissent du pain frais tous les jours mais aussi des croissants et des pâtisseries. Un porte-avions dispose de réserves de nourriture pour 45 jours, mais il est approvisionné tous les 15 jours, notamment en produits frais tels que des légumes et des fruits.

L'hôpital

Un porte-avions est équipé d'un véritable petit hôpital. On y trouve deux blocs opératoires où peuvent être pratiquées diverses opérations (dans les cas les plus graves, les malades ou les blessés sont évacués). Il y a aussi une infirmerie, un service de radiologie, un laboratoire de biologie, une salle de soins intensifs... Le dentiste assure essentiellement les urgences (avant d'embarquer, l'équipage subit obligatoirement un dépistage des caries).

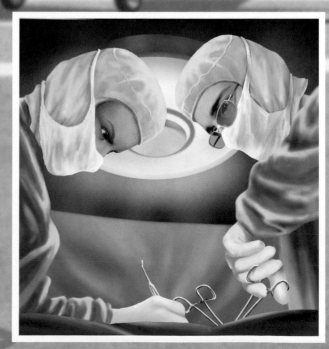

LE GROUPE AÉRONAVAL

Le groupe aéronaval est le nom donné à l'ensemble des navires qui accompagnent le porte-avions pour assurer sa protection et son ravitaillement : frégates anti-aériennes et anti-sous-marines, bateaux chasseurs de mines, sous-marin nucléaire d'attaque, bâtiments-ateliers pour effectuer de grosses réparations, navires pétroliers-ravitailleurs... Le nombre des navires de protection varie en fonction des missions à accomplir.

La frégate anti-aérienne

Elle a pour mission d'assurer la défense du groupe aéronaval contre les attaques aériennes et les missiles envoyés par des navires de surface. Pourvue de radars à longue portée, elle est armée de canons, de torpilles et de missiles.

Le navire pétrolier-ravitailleur

Il est chargé d'approvisionner le porte-avions et les bateaux qui l'accompagnent en munitions, vivres et carburant. Il possède des réserves pour deux semaines environ. Passé ce délai, un autre ravitailleur prend sa place et ainsi de suite. Le ravitaillement s'effectue sans qu'il soit nécessaire d'arrêter les navires grâce à un système de câbles tendus entre les bâtiments (ci-contre).

Durant le ravitaillement, les navires adoptent une vitesse constante d'environ 18 km/h. En cas de tempête, le ravitaillement est reporté.

Les frégates modernes sont furtives, c'est-à-dire qu'elles sont difficilement repérables par un radar. Ceci est dû à leurs formes étudiées et aux matériaux de construction employés qui réfléchissent moins les ondes. Elles sont équipées d'une plate-forme à l'arrière pour l'appontage d'hélicoptères.

La frégate anti-sous-marine

Elle est destinée à détecter les sous-marins ennemis grâce au puissant sonar qu'elle remorque ou qui est traîné par un hélicoptère. Armée de torpilles et de missiles, elle peut aussi riposter à une attaque aérienne.

Le sous-marin nucléaire d'attaque

C'est l'arme la plus redoutable pour quiconque s'approche un peu trop près du porte-avions. Très silencieux et pratiquement indétectable, il est muni de torpilles, de missiles anti-navire et de missiles de croisière. Il plonge jusqu'à 700 m (deux fois la hauteur de la tour Eiffel !).

LES PORTE-AÉRONEFS

Les porte-avions doivent avoir un pont suffisamment long pour permettre le décollage et l'appontage des avions. Cela nécessite la construction de navires énormes, qui coûtent extrêmement cher. C'est pourquoi certains pays ont préféré construire des bâtiments plus courts où seuls peuvent apponter des hélicoptères et des avions *V-Stoll* (à décollage et atterrissage courts ou verticaux). On les appelle des porte-aéronefs.

Le porte-aéronefs

Il mesure en moyenne 220 m et accueille entre 500 et 1 200 membres d'équipage. Il peut embarquer une vingtaine d'appareils. Comme ils décollent et atterrissent verticalement, ou sur une courte distance grâce à un tremplin, le navire ne possède ni catapulte ni brins d'arrêt.

Les porte-aéronefs nouvelle génération

Ces navires ont l'avantage de remplir diverses fonctions : attaques, débarquements de troupes et de chars d'assaut à bord de chalands (bateaux à fond plat) et d'aéroglisseurs (bateaux sur coussins d'air), missions humanitaires...

Ce type de navire embarque des hélicoptères de secours et d'attaque, ainsi que des avions V-Stoll à hélices et à réaction.

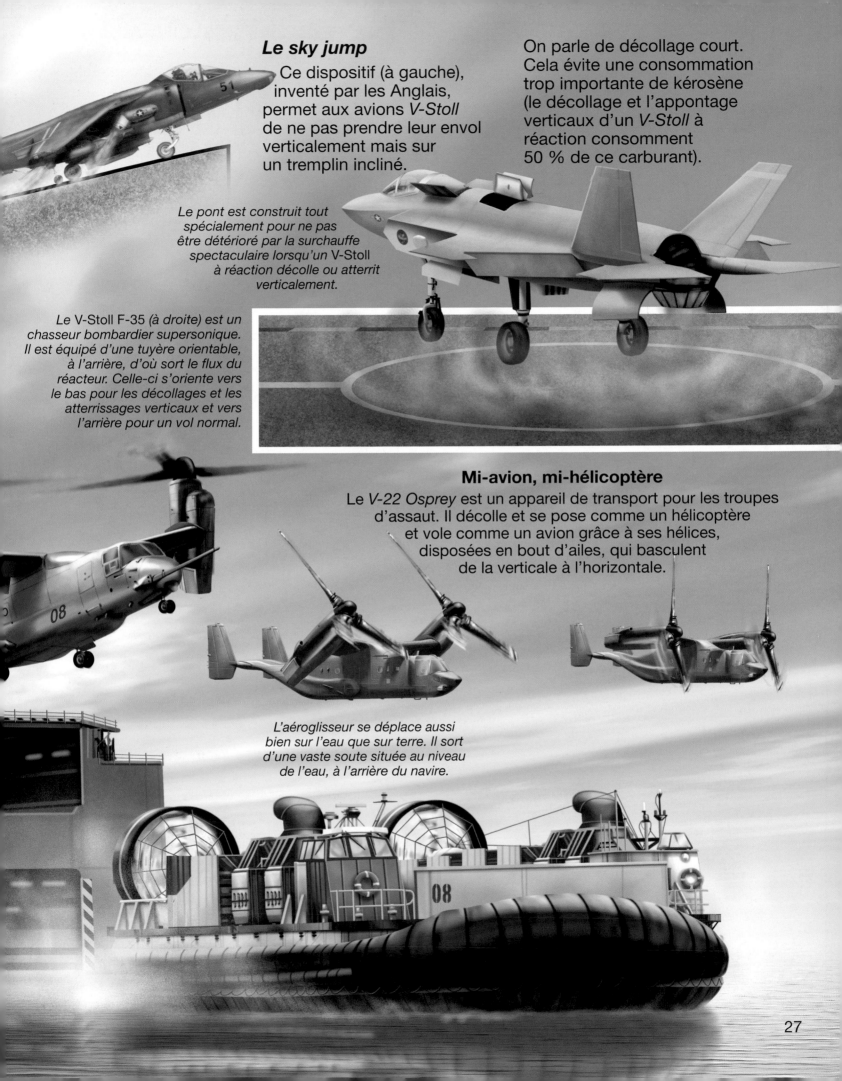

Le sky jump

Ce dispositif (à gauche), inventé par les Anglais, permet aux avions *V-Stoll* de ne pas prendre leur envol verticalement mais sur un tremplin incliné.

On parle de décollage court. Cela évite une consommation trop importante de kérosène (le décollage et l'appontage verticaux d'un *V-Stoll* à réaction consomment 50 % de ce carburant).

Le pont est construit tout spécialement pour ne pas être détérioré par la surchauffe spectaculaire lorsqu'un V-Stoll à réaction décolle ou atterrit verticalement.

Le V-Stoll F-35 (à droite) est un chasseur bombardier supersonique. Il est équipé d'une tuyère orientable, à l'arrière, d'où sort le flux du réacteur. Celle-ci s'oriente vers le bas pour les décollages et les atterrissages verticaux et vers l'arrière pour un vol normal.

Mi-avion, mi-hélicoptère

Le *V-22 Osprey* est un appareil de transport pour les troupes d'assaut. Il décolle et se pose comme un hélicoptère et vole comme un avion grâce à ses hélices, disposées en bout d'ailes, qui basculent de la verticale à l'horizontale.

L'aéroglisseur se déplace aussi bien sur l'eau que sur terre. Il sort d'une vaste soute située au niveau de l'eau, à l'arrière du navire.

TABLE DES MATIÈRES

ISBN : 978-2-215-08705-2
© Groupe FLEURUS, 2007
Dépôt légal à la date de parution.
Conforme à la loi n° 49-956 du 16 juillet 1949
sur les publications destinées à la jeunesse.
Imprimé en Italie (06-08)